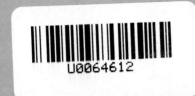

劉福春・李怡 主編

民國文學珍稀文獻集成

第一輯

新詩舊集影印叢編　第 4 冊

【胡適卷】

嘗試集

上海：亞東圖書館 1922 年 10 月版

胡適　著

花木蘭文化出版社

國家圖書館出版品預行編目資料

嘗試集／胡適　著—初版—新北市：花木蘭文化出版社，2016
〔民 105〕
226 面；19×26 公分
（民國文學珍稀文獻集成・第一輯・新詩舊集影印叢編　第 4 冊）
ISBN：978-986-404-622-5（套書精裝）
831.8　　105002931

ISBN-978-986-404-622-5

民國文學珍稀文獻集成・第一輯・新詩舊集影印叢編（1-50 冊）
第 4 冊

嘗試集

著　者　胡適
主　編　劉福春、李怡
企　劃　首都師範大學中國詩歌研究中心
北京師範大學民國歷史文化與文學研究中心
（臺灣）政治大學民國歷史文化與文學研究中心
總 編 輯　杜潔祥
副總編輯　楊嘉樂
編　輯　許郁翎
出　版　花木蘭文化出版社
社　長　高小娟
聯絡地址　235 新北市中和區中安街七二號十三樓
電話：02-2923-1455／傳眞：02-2923-1452
網　址　http://www.huamulan.tw 信箱 hml 810518@gmail.com
印　刷　普羅文化出版廣告事業
初　版　2016 年 4 月
定　價　第一輯 1-50 冊（精裝）新台幣 120,000 元

嘗試集

胡適 著

亞東圖書館（上海）一九二〇年三月初版，一九二二年十月增訂四版。原書三十二開。

胡適的

嘗試集

附去國集

（增訂四版）

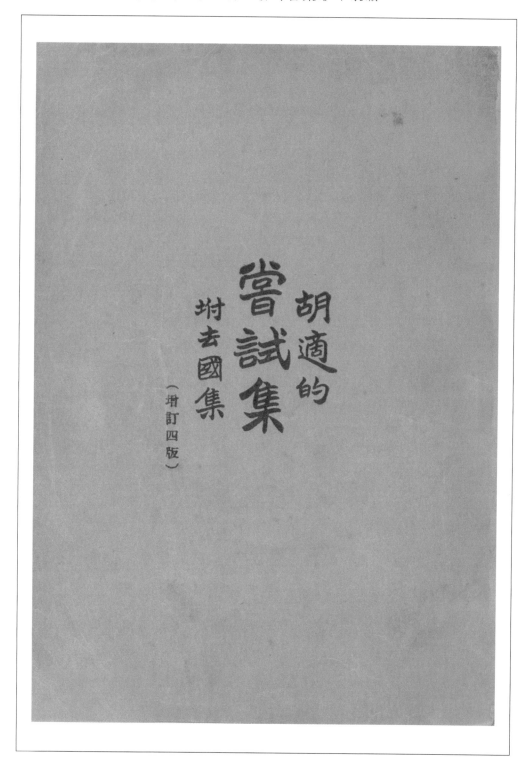

嘗試集目錄:一

第一編

第二編

第三編

附錄去國集

五年八月四日答任叔永（代序一）

……古人說，『工欲善其事，必先利其器。』文字者，文學之器也。我私心以爲文言決不足爲吾國將來文學之利器。施耐菴曹雪芹諸人已實地證明作小說之利器在於白話，今尚需人實地試驗白話是否可爲韻文之利器耳。……我自信頗能用白話作散文，但尚未能用之於韻文；私心頗欲以數年之力，實地練習之。倘數年之後，竟能用文言白話作文作詩，無不隨心所欲，豈非一大快事？我此時練習白話韻文，頗似新闢一文學殖民地。可惜須單身匹馬而往，不能多得同志結伴同行。然吾去志已決。公等假我數年之期。倘此新國盡是沙磧不毛之地，則我或終歸老於『文言詩國』亦未可知；儻幸而有成，則闢除荊棘之後，當開放門戶，迎公等同來蒞止耳！『狂言人道臣當烹。我自不吐定不快，人言未足爲重輕。』足下定笑我狂耳。……

嘗試篇（代序二）

「嘗試成功自古無」，放翁這話未必是。我今爲下一轉語：自古成功在嘗試！

莫想小試便成功，那有這樣容易事！有時試到千百回，始知前功盡拋棄。即使如此已無媿，即此失敗便足記。告人此路不通行，可使脚力莫浪費。

我生求師二十年，今得「嘗試」兩個字。作詩做事要如此，雖未能到頗有志。作「嘗試歌」頌吾師，願大家都來嘗試！

（五，九，三〇。）

集　試　嘗

（2）

四版自序

嘗試集是民國九年三月出版的。當那新舊文學爭論最激烈的時候，當那初次試作新詩的時候，我對於我自己的詩，選擇自然不很嚴；大家對於我的詩，判斷自然也不很嚴。我自己對於社會，只要求他們許我嘗試的自由。社會對於我，也很大度的承認我的詩是一種開風氣的嘗試。這點大度的承認遂使我的嘗試集在兩年之中銷售到一萬部。這是我很感謝的。

現在新詩的討論時期，漸漸的過去了。——現在還有人引了阿狄生，強生，格雷，辜勒律己的話來攻擊新詩的運動，但這種『詩云子曰』的邏輯，便是反對論破產的鐵證。——新詩的作者也漸漸的加多了。有幾位少年詩人的創作，大胆的解放，充滿着新鮮的意味，使我一頭高興，一頭又很慚愧。

我現在回頭看我這五年來的詩，很像一個纏過脚後來放大了的婦人回頭看他一年一年的放脚鞋樣，雖然一年放大一年，年年的鞋樣上總還帶着纏脚時代的血腥氣。我現在看這些少年詩人的新詩，也很像那纏過脚的婦人，眼裏看着一班天足的女孩子們跳上跳下，心裏好不妬羨！

但是纏過脚的婦人永遠不能恢復他的天然脚了。我現在把我這五六年的放脚鞋樣，重新挑選了一遍，删去了許多太不成樣子的或可以害人的。內中雖然還有許多小脚鞋樣，但他們的保存也許可以使人知道纏脚的人放脚的痛苦，也許還有一點歷史的用處，所以我也不必諱了。

刪詩的事，起于民國九年的年底。當時我自己刪了一遍，把刪賸的本子，送給任叔永陳莎菲，請他們再刪一遍。後來又送給『魯迅』先生刪一遍。那時周作人先生病在醫院裏，他也替我刪一遍。後來俞平伯來北京，我又請他刪一遍。他們刪過之後，我自己又仔細看了好幾遍，又刪去了幾首，同時却也保留了一兩首他們主張刪去的。例如江上，『魯迅』與平伯都主張刪，我因爲當時的印象太深了，捨不得刪去。又如禮一首（初版再版皆無。）『魯迅』主張刪去，我因爲這詩雖是發議論，却不是抽象的發議論，所以把他保留了。有時候，我們也有很不同的見解。例如看花一首，康白情寫信來，說此詩很好，平伯也說他可存；但我對於此詩，始終不滿意，故再版時，刪去了兩句，三版時竟全刪了。

再版時添的六首詩，此次被我刪去了三首，又被『魯迅』叔永莎菲刪去了一首。此次添入嘗試集十五首，去國集一首。共計

嘗試集第一編，刪了八首，又嘗試篇提出

代序，共存十四首。

嘗試集第二編，删了十六首，又許怡蓀與一笑移入第三編，共存十七首。

嘗試集第三編，舊存的兩首，新添的十五首，共十七首。

去國集，删去了八首，添入一首，共存十五首。

共存詩詞六十四首。

有些詩略有删改的。如嘗試篇删去了四句，鴿子改了四個字，你莫忘記添了三個「了」字，一笑改了兩處；例外前在新青年上發表時有四章，現在删去了一

章。這種地方，雖然微細的很，但也有很可研究之點。例如一笑第二章原文

那個人不知後來怎樣了。

蔣百里先生有一天對我說，這樣排列，便不好讀，不如改作

那個人後來不知怎樣了。

我依他改了，果然遠勝原文。又如你莫忘記第九行原文是

嘤喲，……火就要燒到這裏。

康白情從三萬里外來信，替我加上了一個「了」字，方才合白話的文法。做白話的人，若不講究這種似微細

而實重要的地方，便不配做白話，更不配做白話詩。

嘗試集初版有錢玄同先生的序和我的序。這兩篇序都有了一兩萬份流傳在外；現在爲減輕書價起見，我把他們都刪去了。（我的「自序」現收入「胡適文存」裏。）

我借這個四版的機會，謝謝那一班幫我刪詩的朋友。至於我在再版自序裏說的那種『戲台裏喝采』的壞脾氣，我近來也很想矯正他，所以我恭恭敬敬的引東南大學教授胡先驌先生『評』嘗試集的話來作結。胡先驌教授說：

胡君之嘗試集，死文學也。以其必死必朽也。不以其用活文字之故，而遂得不死

> 不朽也。物之將死，必精神失其常度，言動出於常軌。胡君輩之詩之鹵莽滅裂趨於極端，正其必死之徵耳。

這幾句話，我初讀了覺得很像是罵我的話；但這幾句話是登在一種自矢『平心而言，不事嫚罵，以培俗』的雜誌上的，大概不會是罵罷？無論如何，我自己正在愁我的解放不徹底，胡先驌教授卻說我『鹵莽滅裂趨於極端』，這句話實在未免過譽了。至於『必死必朽』的一層，倒也不在我的心上。况且胡先驌教授又說，

> 陀司妥夫士忌，戈爾忌之小說，死文學也。不以其轟動一時遂得不死不朽也。

胡先驌教授居然很大度的請陀司妥夫士忌來陪我同死同朽，這更是過譽了，我更不敢當了。

（十一，三，十。胡適。）

集　　試　　嘗

(10)

第一編

蝴蝶

兩個黃蝴蝶，雙雙飛上天。
不知爲什麼，一個忽飛還。
剩下那一個，孤單怪可憐；
也無心上天，天上太孤單。

（五年八月二十三日。）

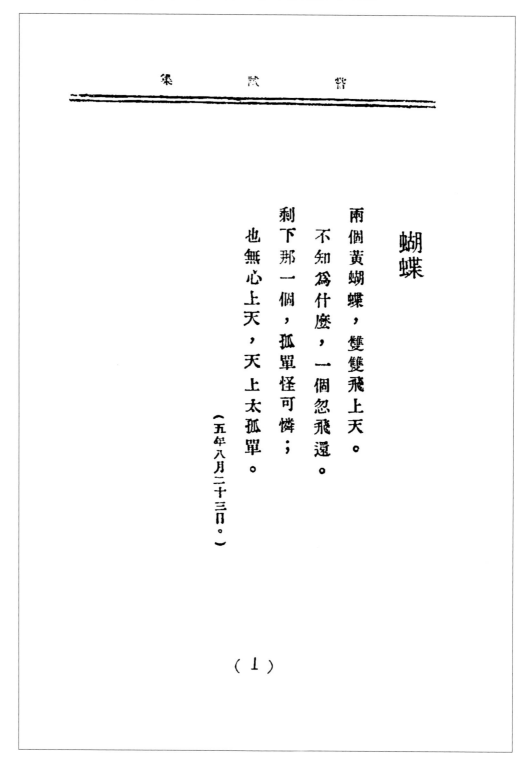

贈朱經農

經農自美京來訪余於紐約，暢談極歡。三日之留，忽忽遂盡。別後終日不樂，作此寄之。

六年你我不相見，見時在赫貞江邊；握手一笑不須說：你我於今更少年。

回頭你我年老時，粉條黑板作講師；更有暮氣大可笑，喜作喪氣頹唐詩。

那時我更不長進，往往喝酒不顧命；有時儘

日醉不醒，明朝醒來害酒病。

一日大醉幾乎死，醒來忽然怪自己：父母生
我該有用，似此眞不成事體。
從此不敢大糊塗，六年海外頗讀書。幸能
勉强不喝酒，未可全斷淡巴菰。
年來意氣更奇橫，不消使酒稱狂生。頭髮
偶有一莖白，年紀反覺十歲輕。
舊事三天說不全，且喜皇帝不姓袁，更喜你
我都少年，『辟克匿克』來江邊，赫貞江水平
可憐，樹下石上好作筵，黃油麵包頗新鮮，家
鄉茶葉不費錢，吃飽喝脹活神仙，唱個『蝴蝶

嘗　試　集

兒上天』！

（五年八月三十一日。）

（註）西人攜食物出遊，即於野外聚食之，謂之『辟克匿克』(Picnic)。

(4)

中秋

九月十一夜，爲舊歷八月十五夜。

小星躲盡大星少，果然今夜清光多！　夜半

月從江上過，一江江水變銀河。

江上

十一月一日大霧，追思夏間一景，因成此詩。

雨脚渡江來，
　山頭銜霧出。
雨過霧亦收，
　江樓看落日。

黃克強先生哀辭

當年曾見將軍之家書，
字跡娟逸似大蘇。
書中之言竟何如？
『一歐愛兒，努力殺賊：』
八個大字，讀之使人慷慨奮發而愛國。
嗚乎將軍，何可多得！

（五年十一月九日。）

十二月五夜月

明月照我牀，臥看不肯睡。窗上青藤影，
隨風舞娟媚。
我愛明月光，更不想什麼。月可使人愁，
定不能愁我。
月冷寒江靜，心頭百念消。欲眠君照我，
無夢到明朝！

沁園春

五年十二月十七日，是我二十五歲的生日。獨坐江樓，囘想這幾年思想的變遷，又念不久卽當歸去，因作此詞，並非自壽，只可算是一種自誓。

棄我去者，二十五年，不可重來。看江明雪霽，吾當壽我，且須高咏，不用啣杯。種種從前，都成今我，莫更思量更莫哀。從今後，要那麽收果，先那麽栽。

忽然異想天開，似天上諸仙采藥回。有丹能却老，鞭能縮地，芝能點石，觸處金堆。我笑諸仙，諸仙笑我。敬謝諸仙我不才，葫蘆裏，也有些微物，試與君猜。

病中得冬秀書

（一）

病中得他書，不滿八行紙，全無要緊話，頗使我歡喜。

（二）

我不認得他，他不認得我，我總常念他，這是爲什麼？

豈不因我們，分定長相親，由分生情意，所以非路人？

海外『土生子』，生不識故里，終有故鄉情，其理亦如此。

（三）

豈不愛自由？　此意無人曉：情願不自由，

也是自由了。

（六年一月十六日。）

「赫貞旦」答叔永

叔永昨以五言長詩寄我，有「已見赫貞夕，未見赫貞旦。何當侵晨去，起君從枕畔，」之句。作此報之。

「赫貞旦」如何？聽我告訴你。　昨日我起時，東方日初起，返照到天西，彩霞美無比。赫貞平似鏡，紅雲滿江底。　江西山低小，倒影入江紫。　朝霞漸散了，賸有青天好。　江中水更藍，要與天爭姣。　休說海鷗閒，水凍捉魚難，日日寒江上，飛去又飛還。何如我閒散，開窗面江岸，瀹茶勝似酒，麵包充早飯。老任倘能來，和你分一半。更可同作詩，重咏『赫貞旦』。

（六年二月十九日。）

生查子

前度月來時，
仔細思量過。
今度月重來，
獨自臨江坐。
風打沒遮樓，
月照無眠我。
從來沒見他，
夢也如何做？

（六年三月六日。）

景不徙篇

墨經云，「景不徙，說在改爲。」說曰，「景。光至景亡。若在，盡古息。」莊子天下篇云，「飛鳥之影未嘗動也。」此言影已改爲而後影已非前影。前影雖不可見而實未嘗動移也。

飛鳥過江來，投影在江水。鳥逝水長流，
此影何嘗徙？

風過鏡平湖，湖面生輕縐。湖更鏡平時，
畢竟難如舊。
爲他起一念，十年終不改。有召即重來，
若亡而實在。

（六年三月六日。）

朋友篇 寄怡蓀經農

（將歸詩之一）

粗飯還可飽，破衣不算醜。人生無好友，如身無足手。吾生所交遊，益我皆最厚。少年恨汚俗，反與汚俗偶。自視六尺軀，不值一杯酒。倘非朋友力，吾醉死已久。從此謝諸友，立身重抖擻。去國今七年，此意未敢負。新交遍天下，難細數誰某。所最敬愛者，也有七八九。學理互分剖，過失賴彈糾。清夜每自思，此身非吾有：一半屬父母，一半屬朋友。便即此一念，足鞭策吾後。今當重歸來，為國效奔走。可憐程（樂亭）鄭（仲誠）張（希古），少年骨已朽。作歌謝吾友，泉下人知否？

（六年六月一日。）

文學篇

（將歸詩之二）

吾將歸國，叔永作詩贈別。有『君歸何人勸我詩，』之句。因念吾數年來之文學的興趣，多出於吾友之助。若無叔永杏佛，定無去國集。若無叔永覲莊，定無嘗試集。感此作詩別叔永，杏佛，覲莊。

我初來此邦，所志在耕種。文章真小技，

書　試　集

救國不中用。帶來千卷書，一一盡分送。

種菜與種樹，往往來入夢。

忽忽復幾時，忽大笑吾癡。救國千萬事，

何事不當爲？而吾性所適，僅有一二宜。

逆天而拂性，所得終希微。

從此改所業，講學復議政。故國方新造，

紛爭久未定。學以濟時艱，要與時相應。

文章盛世事，今日何消問？

明年任與楊，遠道來就我。山城風雪夜，

枯坐殊未可。烹茶更賦詩，有倡還須和。

詩爐久灰冷，從此生新火。

（21）

前年任與梅，聯盟成勁敵。與我論文學，經歲猶未歇。吾敵雖未降，吾志乃更決。暫不與君辯，且著嘗試集。回首四年來，積詩可百首。做詩的興味，大半靠朋友：佳句共欣賞，論難見忠厚。如今遠別去，此樂難再有。暫別不須悲，諸君會當歸。請與諸君期：明年荷花時，春申江之湄，有酒盈清卮，無客不能詩，同作歸來辭！

（六年六月一日。）

嘗　試　集

（註）吾初至美國，習農學一年半，後改入文科習政治經濟，兼治文學哲學，最後乃專治哲學。

（23）

集　試　嘗

百字令

六年七月三夜，太平洋舟中，見月，有懷。

幾天風霧，險些兒把月圓時孤負。待得他來，又還被如許浮雲遮住！多謝天風，吹開明月，萬頃銀波怒！孤舟載月，海天衝浪西去！

念我多少故人，如今都在明月飛來處。別後相思如此月，繞遍地球無數！幾顆疎星，

（24）

長天空闊，有溼衣涼露。　低頭自語：『吾鄉
眞在何許？』

嘗 試 集

(26)

第 二 編

嘗試集

鴿子

雲淡天高，好一片晚秋天氣！

有一羣鴿子，在空中遊戲。

看他們三三兩兩，

迴環來往，

夷猶如意，——

忽地裏，翻身映日，白羽襯青天，十分鮮

麗！

(27)

老鴉

（一）

我大清早起，
站在人家屋角上啞啞的啼。
人家討嫌我，說我不吉利：——
我不能呢呢喃喃討人家的歡喜！

（二）

天寒風緊，無枝可棲。
我整日裏飛去飛回，整日裏又寒又飢。——
我不能帶着鞘兒，翁翁央央的替人家飛；

（28）

也不能叫人家繫在竹竿頭，賺一把黃小米！

三溪路上大雪裏一個紅葉

雪色滿空山，擡頭忽見你！

我不知何故，心裏狠歡喜；

踏雪摘下來，夾在小書裏；

還想做首詩，寫我歡喜的道理。

不料此理狠難寫，抽出筆來還擱起。

（六年十二月二十二日。）

新婚雜詩（五首存一首）

十三年沒見面的相思，於今完結。
把一樁樁傷心舊事，從頭細說。
你莫說你對不住我，
我也不說我對不住你，——
且牢牢記取這十二月三十夜的中天明月！

老洛伯 "Auld Robin Gray"

序

著者爲蘇格蘭女詩人 Anne Lindsay 夫人（1750-1825）。夫人少年時即以文學見稱於哀丁堡。初嫁 Andrew Barnard，夫死，再嫁 James Bland Burges。當代文人如 Burke 及 Sheridan 皆與爲友。Scott 尤敬禮之。

此詩爲夫人二十一歲時所作，匿名刊行。詩出之後，風行全國，終莫知著者為誰也。後五十二年，Scott於所著小說中偶言及之，而夫人已老，後二年，死矣。

此詩向推為世界情詩之最哀者。全篇作村婦口氣，語語率真，此當日之白話詩也。

（一）

羊兒在欄，牛兒在家，
靜悄悄地黑夜，
我的好人兒早在我身邊睡了，

我的心頭宛苦，都迸作淚如雨下。

（二）

我的吉梅他愛我，要我嫁他。

他那時只有一塊銀圓，別無什麽；

他爲了我渡海去做活，

要把銀子變成金，好回來娶我。

（三）

他去了沒半月，便跌壞了我的爹爹，病倒了

我的媽媽；

剩了一頭牛，又被人偷去了。

我的吉梅他只是不回家！

那時老洛伯便來纏着我，要我嫁他。

（四）

我爹爹不能做活，我媽他又不能紡紗，
我日夜裏忙着，如何養得活這一家？
多虧得老洛伯時常幫襯我爹媽，
他說，『錦妮，你看他兩口兒分上，嫁了我罷。』

（五）

我那時回絕了他，我只望吉梅回來討我。
又誰知海裏起了大風波，——
人都說我的吉梅他翻船死了！

只拋下我這苦命的人兒一個！

（六）

我爹爹再三勸我嫁；

我媽不說話，他只眼睜睜地望着我，

望得我心裏好不難過！

我的心兒早已在那大海裏，

我只得由他們嫁了我的身子！

（七）

我嫁了還沒多少日子，

那天正孤孤悽悽地坐在大門裏，

抬頭忽看見吉梅的鬼！——

却原來眞是他，他說，『錦妮，我如今囘來討你。』

（八）

我兩人哭着說了許多言語，
我讓他親了一個嘴，便打發他走路。
我恨不得立刻死了，——只是如何死得下去！
天呵！我如何這般命苦！

（九）

我如今坐也坐不下，那有心腸紡紗？
我又不敢想着他：

想着他須是一樁罪過。
我只得努力做一個好家婆，
我家老洛伯他並不曾待差了我。

（七年三月一夜譯。）

AULD ROBIN GRAY

When the sheep are in the fauld, and
the kye at hame,
An a' the world to rest are gane,
The waes o' my heart fa' in showers
frae my e' e,
While my gudeman lies sound by me.

Young Jamie lo' ed me weel, and sought
me for his bride;
But saving a croun he had naething
else beside;
To make the croun a pund, young Jamie
gaed to sea;
And the croun and the pund were baith
for me.

He hadna been awa' a week but
　　only twa,
When my father brak his arm, and
　　the cow was stown awa;
My mother she fell sick, and my
　　Jamie at the sea—
And auld Robin Gray came a-courtin'
　　me.

My father couldna work, and my
　　mother couldna spin;
I toil' d day and night, but their
　　bread I couldna win;
Auld Rob maintain' d them baith,
　　and wi' tears in his e' e
Said, Jennie, for their sakes,
　　O, marry me!

My heart it said nay; I look'd for
    Jamie back;
But the wind it blew high, and
    the ship it was a wreck;
His ship it was a wreck—why
    didna Jamie dee?
Or why do I live to cry, Wae' s
    me?

My father urgit sair: my mother
    didna speak;
But she look' d in my face till
    my heart was like to break;
They gi' ed him my hand, but my
    heart was at the sea:
Sae auld Robin Gray he was
    gudeman to me.

I hadna been a wife a week but
　　only four,
When mournfu' as I sat on the
　　stane at the door,
I saw my Jamie's wraith, for I
　　couldna think it he
Till he said, I' m come hame to
　　marry thee.

O sair, sair did we greet, and
　　muckle did we say;
We took but ae kiss, and I bad
　　him gang away;
I wish that I were dead, but I' m
　　no like to dee;
And why was I born to say,
　　Wae' s me?

I gang like a ghaist, and I carena
to spin;
I daurna think on Jamie, for that
wad be a sin;
But I' ll do my best a gude wife
aye to be,
For auld Robin Gray he is kind
unto me.

Lady Anne Lindsay

你莫忘記

（參看太平洋第十期『刼餘生』通信）

你莫忘記：
　這是我們國家的大兵，
　逼死了三姨，逼死了阿馨，
　逼死了你妻子，鎗斃了高升！……
你莫忘記：
　是誰砍掉了你的手指，

是誰把你老子打成了這個樣子！
是誰燒了這一村，……
嗳喲！……火就要燒到這裏了，——
你跑罷！莫要同我一齊死！……
回來！……
你莫忘記：
你老子臨死時只指望快快亡國：
亡給『哥薩克』，亡給『普魯士』，——
都可以，——
總該不至——如此！……

（七年六月二十八日初稿。）

集　試　嘗

（七年八月二十三夜改稿。）

（十一年三月十夜改稿。）

（46）

如夢令

去年八月作如夢令兩首：

（一）

他把門兒深掩，不肯出來相見。難道不關情？怕是因情生怨。休怨！休怨！他日凴君發遣。

（二）

幾次曾看小像，幾次傳書來往，見見又何妨！休做女孩兒相。凝想，凝想，想是這般模樣！

今年八月與冬秀在京寓夜話，忽憶一年前舊事，遂和前詞，成此闋。

天上風吹雲破，
月照我們兩個。
問你去年時，
爲甚閉門深躲？
『誰躲？誰躲？
那是去年的我！』

十二月一日奔喪到家

往日歸來，纔望見竹竿尖，纔望見吾村，
便心頭亂跳，遙知前面，老親望我，含淚相迎。
「來了？好呀！」——更無別話，說盡心頭歡喜悲酸無限情。
偷回首，揩乾淚眼，招呼茶飯，款待歸人。

今朝，——
依舊竹竿尖，依舊溪橋，——

只少了我的心頭狂跳！——
何消說一世的深恩未報！
何消說十年來的家庭夢想，都一一雲散烟
銷！——
只今日到家時，更何處能尋他那一聲『好
呀，來了！』

關不住了！（譯詩）

我說「我把心收起，
　像人家把門關了，
叫愛情生生的餓死，
　也許不再和我為難了。」

但是五月的濕風，
　時時從屋頂上吹來；
還有那街心的琴調
　一陣陣的飛來。

一屋裏都是太陽光，
　這時候愛情有點醉了，
他說，「我是關不住的，
　我要把你的心打碎了！」

八年二月二十六日譯美國新詩人 Sara Teasdale 的 Over the Roofs

OVER THE ROOFS

I said, "I have shut my heart,
As one shuts an open door,
That Love may starve therein
And trouble me no more".

But over the roofs there came
The wet new wind of May,
And a tune blew up from the curb
where the street-pianos play.

My room was white with the sun
And Love cried out in me,
"I am strong, I will break your heart
Unless you set me free".

Sara Teasdale.

希望(譯詩)

要是天公換了卿和我，
該把這糊塗世界一齊都打破，
要再磨再煉再調和，
好依着你我的安排，把世界重新造過！

八年二月二十八日譯英人 Fitzgerald 所譯波斯詩人 Omar Khayyam (d-1123 A.D.) 的 Rubaiyat（絕句）詩第一百零八首。

Ah! Love, could you and I with Him
conspire
To grasp this Sorry Scheme of Things
entire,
Would not we shatter it to bits—
and then
Remould it nearer to the Heart's
Desire

『應該』

他也許愛我，——也許還愛我，——
但他總勸我莫再愛他。
他常常怪我；
這一天，他眼淚汪汪的望着我，
說道：『你如何還想着我？
想着我，你又如何能對他？
你要是當眞愛我，
你應該把愛我的心愛他，
你應該把待我的情待他。』

他的話句句都不錯：——
上帝帮我！
我『應該』這樣做！

（八年三月二十日。）

一顆星兒

我喜歡你這顆頂大的星兒，
可惜我叫不出你的名字。
平日月明時，月光遮盡了滿天星，總不能遮住你。
今天風雨後，悶沉沉的天氣，
我望遍天邊，尋不見一點半點光明，
回轉頭來，
只有你在那楊柳高頭依舊亮晶晶地。

（八年四月二十五夜。）

威權

威權坐在山頂上，
指揮一班鐵索鎖着的奴隸替他開鑛。
他說：「你們誰敢倔強？
我要把你們怎麼樣就怎麼樣！」

奴隸們做了一萬年的工，
頭頸上的鐵索漸漸的磨斷了。
他們說：「等到鐵索斷時，
我們要造反了！」

奴隸們同心合力，
一鋤一鋤的掘到山脚底。
山脚底挖空了，
威權倒撞下來，活活的跌死！

八年六月十一夜。是夜陳獨秀在
北京被捕；半夜後，某報館電話來，
說日本東京有大罷工擧動。

小詩

也想不相思，
可免相思苦。
幾次細思量，
情願相思苦！

有一天我在張慰慈的扇子上，寫了兩句話：『愛情的代價是痛苦，愛情的方法是要忍得住痛苦。』陳獨秀引我這兩句話，做了一條隨感錄，

（每週評論二十五號）加上一句按語道：『我看不但愛情如此，愛國愛公理也都如此。』　這條隨感錄出版後三日，獨秀就被軍警捉去了，至今還不曾出來。　我又引他的話，做了一條隨感錄，（每週評論二十八號。）後來我又想這個意思可以入詩，遂用生查子詞調，做了這首小詩。

（八年六月二十八日。）

樂觀

每週評論於八月三十日被封禁，國內的報紙狠多替我們抱不平的。我做這首詩謝謝他們。

（一）

『這柯大樹狠可惡，
他礙着我的路！
來！
快把他斫倒了，

把樹根也掘去。——

哈哈！好了！』

（二）

大樹被斫做柴燒，

樹根不久也爛完了。

斫樹的人狠得意，

他覺得狠平安了。

（三）

但是那樹還有許多種子，——

狠小的種子，裹在有刺的殼裏，——

上面蓋着枯葉，

葉上堆着白雪，
狠小的東西，誰也不注意。

（四）

雪消了，
枯葉被春風吹跑了。
那有刺的殼都裂開了，
每個上面長出兩瓣嫩葉，
笑迷迷的好像是說：
「我們又來了！」

（五）

過了許多年，

壩上田邊，都是大樹了。
辛苦的工人，在樹下乘涼；
聰明的小鳥，在樹上歌唱，——
那斫樹的人到那裏去了？

（八年九月二十夜。）

上山

（一首懺悔的詩）

『努力！努力！

努力望上跑！』

我頭也不回，

汗也不揩，

拚命的爬上山去。

嘗試集

『半山了！努力！
努力望上跑！』
上面已沒有路，
我手攀着石上的青藤，
脚尖抵住岩石縫裏的小樹，
一步一步的爬上山去。
『小心點！努力！
努力望上跑！』

樹椏扯破了我的衫袖，
荊棘刺傷了我的雙手，
我好容易打開了一線路爬上山去。
上面果然是平坦的路，
有好看的野花，
有遮陰的老樹。
但是我可倦了，
衣服都被汗濕遍了，
兩條腿都軟了。

我在樹下睡倒，
聞着那撲鼻的草香，
便昏昏沉沉的睡了一覺。
睡醒來時，天已黑了，
路已行不得了，
『努力』的喊聲也滅了。……
猛省！　猛省！
我且坐到天明，

明天絕早跑上最高峯，
去看那日出的奇景！

（八年九月二十八夜）

一顆遭刼的星

北京國民公報響應新思潮最早，遭忌也最深。今年十一月被封，主筆孫幾伊君被捕。十二月四日判決，孫君定監禁十四個月的罪。我爲這事做這詩。

熱極了！
更沒有一點風！
那又輕又細的馬纓花鬚

動也不動一動！

好容易一顆大星出來；
我們知道夜涼將到了：——
仍舊是熱，仍舊沒有風，
只是我們心裏不煩躁了。

忽然一大塊黑雲
把那顆清涼光明的星圍住；
那塊雲越積越大，
那顆星再也衝不出去！

烏雲越積越大，
遮盡了一天的明霞；
一陣風來，
拳頭大的雨點淋漓打下！

大雨過後，
滿天的星都放光了。
那顆大星歡迎着他們，
大家齊說「世界更清涼了！」

（八年十二月十七日。）

第三編

許怡蓀

序

七月五日，我與子高過中正街，這是死友許怡蓀的住處。旁晚與諸位朋友遊秦淮河，船過金陵春，回想去年與怡蓀在此吃夜飯，子高肇南都在座，我們開窗望見秦淮河，那是我第一次見此河；今天第二次見秦淮，怡蓀死已一年多了！夜十時我回寓再過中正街，淒然墮淚。人生能得幾個好朋友？況怡蓀益我最厚，愛我最深，期望我最篤！我到此四日，竟不忍過中正街，今日無意中兩次過此，追想去年一月之夜話，那可再得？歸寓後作此詩，以寫吾哀。

怡蓀！
我想像你此時還在此！
你跑出門來接我，
我知道你心裏歡喜。

你誇獎我的成功，
我也愛受你的誇獎；
因爲我的成功你都有份，
你誇獎我就同我誇獎你一樣。

我把一年來的痛苦也告訴了你，
我覺得心裏怪輕鬆了；
因爲有你分去了一半，
這擔子自然就不同了。

我們談到半夜，

半夜我還捨不得就走。
我記得你臨別時的話：
『適之，大處着眼，小處下手！』……
車子忽然轉灣，
打斷了我的夢想。
怡蓀！
你的朋友還同你在時一樣！

一笑

十幾年前，
一個人對我笑了一笑。
我當時不懂得什麼，
只覺得他笑的很好。

那個人後來不知怎樣了，
只是他那一笑還在：
我不但忘不了他，
還覺得他越久越可愛。

我借他做了許多情詩，
我替他想出種種境地：
有的人讀了傷心，
有的人讀了歡喜。

歡喜也罷，傷心也罷，
其實只是那一笑。
我也許不會再見着那笑的人，
但我很感謝他笑的眞好。

（九，八，一二，）

我們三個朋友

（九，八，二二，贈任叔永與陳莎菲。）

（上）

雪全消了，
春將到了，
只是寒威如舊。
冷風怒號，
萬松狂嘯，

伴着我們三個朋友。

風稍歇了，
人將別了，——
我們三個朋友。
寒流禿樹，
溪橋人語，——
此會何時重有？

（下）

別三年了！
月半圓了，

照着一湖荷葉；
照着鐘山，
照着臺城，
照着高樓清絕。

別三年了，
又是一種山川了，——
依舊我們三個朋友。
此景無雙，
此日最難忘，——
讓我的新詩祝你們長壽！

湖上

九，八，二四，夜游後湖——即玄武湖，——主人王伯秋要我作詩，我竟做不出詩來，只好寫一時所見，作了這首小詩。

水上一個螢火，
水裏一個螢火，
平排着，
輕輕地，

打我們的船邊飛過。
他們倆兒越飛越近，
漸漸地併作了一個。

藝術

報載英國第一『莎翁劇家』福北洛柏臣（Forbes-Robertson）（複姓）現在不登台了，他最後的『告別辭』說他自己做戲的秘訣只是一句話：『我做戲要做的我自己充分愉快。』這句話不單可適用於做戲；一切藝術都是如此。病中無事，戲引伸這話，做成一首詩。

我忍着一副眼淚，
扮演了幾場苦戲，
一會兒替人傷心，
一會兒替人着急。

我是一個多情的人，
這副眼淚如何忍得？
做到了最傷心處，
我的眼淚熱滾滾的直滴。

台下的人看見了，

不住的拍手叫好。——

他們看他們的戲，

那懂得我的煩惱？

（九，九，二二。）

例外

我把酒和茶都戒了，
近來戒到淡巴菰；
本來還想戒新詩，
只怕我趕詩神不去。

詩神含笑說：
「我來決不累先生。
謝大夫不許你勞神，
他不能禁你偶然高興。」

他又涎着臉勸我：
「新詩做做何妨？
做得一首好詩成，
抵得吃人參半磅！」

（九，十，六，病中。）

夢與詩

都是平常經驗，
都是平常影象，
偶然湧到夢中來，
變幻出多少新奇花樣！

都是平常情感，
都是平常言語，
偶然碰着個詩人，
變幻出多少新奇詩句！

醉過才知酒濃，
愛過才知情重：——
你不能做我的詩，
正如我不能做你的夢。

（自跋）這是我的「詩的經驗主義」（Poetic empiricism）。簡單一句話：做夢尚且要經驗做底子，何況做詩？現在人的大毛病就在愛做沒有經驗做底子的詩。北京一位新詩人說「棒子麪一根

一根的往嘴裏送』；上海一位詩學大家
說『昨日蠶一眠，今日蠶二眠，明日蠶
三眠，蠶眠人不眠！』 吃麵養蠶何嘗
不是世間最容易的事？ 但沒有這種經
驗的人，連吃麵養蠶都不配說。——何
況做詩？

（九，一〇，一〇．）

禮！

他死了父親不肯磕頭，
你們大罵他。
他不能行你們的禮，
你們就要打他。

你們都能呢呢囉囉的哭，
他實在忍不住要笑了。
你們都有現成的眼淚，
他可沒有，——他只好跑了。

你們串的是什麽醜戲，
也配擡出『禮』字的大帽子！
你們也不想想，
究竟死的是誰的老子？

（九，一一，二五。）

十一月二十四夜

老槐樹的影子
在月光的地上微晃；
棗樹上還有幾個乾葉，
時時做出一種沒氣力的聲響。

西山的秋色幾回招我，
不幸我被我的病拖住了。
現在他們說我快要好了，
那幽艷的秋天早已過去了。

（九，十一，二五。）

我們的雙生日（贈冬秀）

九年十二月十七日，即陰歷十月初八日，是我的陽歷生日，又是冬秀的陰歷生日。

他干涉我病裏看書，
常說，『你又不要命了！』
我也惱他干涉我，
常說，『你鬧，我更要病了！』

我們常常這樣吵嘴，——
每回吵過也就好了。
今天是我們的雙生日，
我們訂約，今天不許吵了。

我可忍不住要做一首生日詩。
他喊道，『哼，又做什麼詩了！』
要不是我搶的快，
這首詩早被他撕了。

（注）國音，詩音尸，撕音ㄙ，故

可互韻。

醉與愛

沈玄廬說我的詩『醉過才知酒濃，愛過才知情重』的兩個『過』字，依他的經驗，應該改作『裏』字。我戲做這首詩答他。

你醉裏何嘗知酒力？
你只和衣倒下就睡了。
你醒來自己笑道，
『昨晚當眞喝醉了！』

愛裏也只是愛，——
和酒醉很相像的。
直到你後來追想，
「哦！愛情原來是這麼樣的！」

（十，一，二七。）

平民學校校歌

（爲北京高師平民學校作的。）

靠着兩隻手，
拚得一身血汗，
大家努力做個人，——
不做工的不配喫飯！

做工即是學，
求學即是做工：

大家努力做先鋒，
同做有意識的勞動！

（十，四，十二。）

此歌有兩種譜，一種是趙元任先生做的，一種是蕭友梅先生做的。今將趙先生的譜附在後面。

平民學校校歌

胡適作字　　趙元任作調

做個人 不作工的 不配吃飯　不作工的 不配吃飯

同做有意識的 勞動　同做有意識的 勞 動

四烈士塚上的沒字碑歌

辛亥革命時，楊禹昌，張先培，黃之萌用炸彈炸袁世凱，不成而死；彭家珍炸良弼，成功而死。後來中華民國成立了，民國政府把他們合葬在三貝子公園裏，名爲「四烈士塚」。塚旁有一座四面的碑台，預備給四烈士每人刻碑的。但只有一面刻着楊烈士的碑，其餘三面都無一個字。

十年五月一夜，我在天津，住在青

年會裏，夢中遊四烈士塚，醒時作此歌。

他們是誰？
三個失敗的英雄，
一個成功的好漢！
他們的武器：
炸彈！炸彈！
他們的精神：
幹！幹！幹！

他們幹了些什麼？
一彈使奸雄破胆！
一彈把帝制推翻！
他們的武器：
炸彈！炸彈！
他們的精神：
幹！幹！幹！

他們不能咬文嚼字，
他們不肯痛哭流涕，
他們更不屑長吁短歎！

他們的武器：
炸彈！炸彈！
他們的精神：
幹！幹！幹！

他們用不著紀功碑，
他們用不著墓誌銘：
死文字贊不了不死漢！
他們的紀功碑：
炸彈！炸彈！
他們的墓誌銘：

幹！幹！幹！

四烈士塚上的沒字碑歌

胡適作歌
蕭友梅作曲

Eroico con fuoco
(♩ = 60)
1. 他們是 誰? 三個失敗的英 雄,一個成功的
mf 2. 他們幹了些甚 麼?一彈使奸雄破 膽!一彈把帝制
3. 他們不能咬文嚼字,他們不肯痛哭流涕,他們更不屑
4. 他們用不著紀功碑,他們用不著墓誌銘,死文字贊
I, II & III
好 漢!1.
推 翻!2.
長 吁 短 嘆!3.
他們的武器:炸彈!炸彈! 他們的
不了不死漢!
f
精神:幹! 幹! 幹! 4.他們的 紀功碑:炸
IV
f
彈!炸彈! 他們的 墓誌銘:幹! 幹! 幹!

死者

爲安慶此次被軍人刺傷身死的姜高琦作。

他身上受了七處刀傷，
他微微地一笑，
什麽都完了！
他那曾經沸過的少年血
再也不會起波瀾了！

我們脫下帽子，
恭敬這第一個死的。——
但我們不要忘記：
請願而死，究竟是可恥的！

我們後死的人，
儘可以革命而死！
儘可以力戰而死！
但我們希望將來
永沒有第二人請願而死！

我們低下頭來，
哀悼這第一個死的。——
但我們不要忘記
請願而死，究竟是可恥的！

（十，六，十七。）

雙十節的鬼歌

十年了，
他們又來紀念了。
他們借我們，
出一張紅報，
做幾篇文章；
放一天例假，
發表一批勳章：
這就是我們的紀念了！

要臉嗎？
這難道是革命的紀念嗎？
我們那時候，
　威權也不怕，
　生命也不顧；
　監獄作家鄉，
　炸彈底下來去：
肯受這種無恥的紀念嗎？

別討厭了！
可以換個法子紀念了。

大家合起來，
趕掉這羣狠，
推翻這鳥政府；
起一個新革命，
造一個好政府：
那才是雙十節的紀念了！

（十，十，四。）

希望

我從山中來，
帶得蘭花草，
種在小園中，
希望開花好。

一日望三回，
望到花時過；
急壞看花人，
苞也無一個。

眼見秋天到，
移花供在家；
明年春風回，
祝汝滿盆花！

（十，十，四。）

晨星篇

（送叔永莎菲到南京）

我們去年那夜，
豁蒙樓上同坐；
月在鐘山頂上，
照見我們三個。
我們吹了燭光，
放進月光滿地；
我們說話不多，

只覺得許多詩意。

我們做了一首詩，
——一首沒有字的詩，——
先寫着黑暗的夜，
後寫着晨光來遲；
在那欲去未去的夜色裏，
我們寫着幾顆小晨星，
雖沒有多大的光明，
也使那早行的人高興。

鐘山上的月色

和我們別了一年多了；

他還囘照見你們，

定要笑我們這一年匆匆過了。

他念着我們的舊詩，

問道，「你們的晨星呢？

四百個長夜過去了，

你們造的光明呢？」

我的朋友們，

我們要暫時分別了；

「珍重珍重」的話，
我也不再說了。——
在這欲去未去的夜色裏，
努力造幾顆小晨星；
雖沒有多大的光明，
也使那早行的人高興！

（十，十二，八。）

附錄

去國集

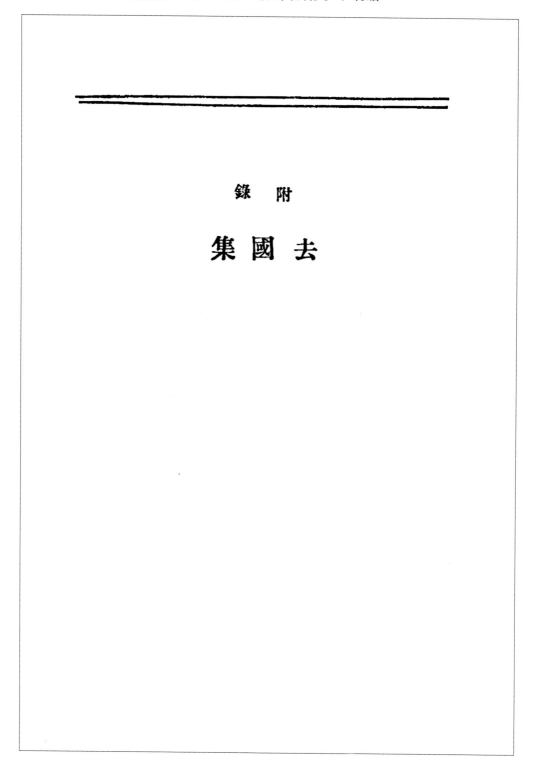

自序

胡適既已自誓將致力於其所謂『活文學』者，乃删定其六年以來所爲文言之詩詞，寫而存之，遂成此集。名之曰去國，斷自庚戌也。昔者譚嗣同自名其詩文集曰『三十以前舊學第幾種』。今余此集，亦可謂之六年以來所作『死文學』之一種耳。集中詩詞，一以年月編纂，欲稍存文字進退及思想變遷之跡焉爾。

（民國五年七月。）

嘗試集

(126)

耶穌誕節歌

冬青樹上明繖炬，冬青樹下讙兒女，高歌頌神歌且舞。朝來阿母含笑語：「兒輩馴好神佑汝。竈前懸襪青絲縷。竈突神下今夜午，朱衣高冠鬢眉古。神之來下不可覩，早睡愼毋干神怒。」明朝襪中實餳敉，有蠟作鼠紙作虎，夜來一一神所予。明日舉家作大餔，殺鷄大於一歲羖。堆盤肴果難悉數。食終腹鼓不可俯。歡樂勿忘神之祜，上帝之子天下主。

（二年十二月二十六日）

大雪放歌

任叔永作歲莫雜詠詩，余謂叔永『君每成四詩，當以一詩奉和。』後叔永果以四詩來，皆大佳。其狀冬日景物，甚盡而工，非下走所可企及。徒以有宿約不可追悔，因作此歌，呈叔永。

往歲初冬雪載塗，今年聖誕始大雪。天工有意弄奇詭，積久迸發勢益烈。夜深飛屑始叩窗，侵晨積絮可及膝。出門四顧喜欲舞，瓊瑤十里供大閱。小市疏林迷遠近，山與天接不可別。眼前諸松耐寒歲，虬枝雪壓垂欲折。窺人松鼠寒可憐，覓食凍雀跡亦絕。毳衣老農朝入市，介介瘦馬駕長橇。道逢相識遙告語，「明年麥子未應劣。」路旁讙呼小兒女，冰槳鐵屐手提挈。昨夜零下二十度，湖面凍合堅可滑。客子踏雪來復去，朔風留膚手皴裂。歸來烹茶還賦詩，短歌大笑忘日昳。開窗相看兩不厭，清寒已足消內熱。百憂一時且棄置，吾輩不可負此日。

嘗　試　集

（二年十二月）

(130)

久雪後大風寒甚作歌

夢中石屋壁欲搖，夢回窗外風怒號，澎湃若擁萬頃濤。

侵晨出門凍欲僵，冰風挾雪捲地狂，囓肌削面不可當。

與風寸步相撐支，呼吸梗絕氣力微，漫漫雪霧行徑迷。

玄冰遮道厚寸許，每虞失足傷折股，旋看落帽凌空舞。

落帽狼狽猶可。未能捷足何嫌跛。抱

頭勿令兩耳墜。
入門得暖寒氣蘇，隔窗看雪如畫圖，背爐安
坐還讀書。
明朝日出寒雲開，風雪於我何有哉！　待看
雪盡春歸來！

（三年正月）

哀希臘歌

The Isles of Greece

序

英國詩人裴倫所著。裴倫 George Gordon Byron 生於西歷一七八八年，死於一八二四年。死時纔三十六歲，而著作等身，詩名蓋世，亦近代文學史上一怪傑也。其平生行事詳諸家專傳，不復述。

此歌凡十六章，見裴倫所著長劇

『唐渾』Don Juan 中。託爲希臘詩人弔古傷今之辭，以激勵希人愛國之心。其詞至慷慨哀怨。『唐渾』一劇，讀者今已甚寡。獨此詩傳誦天下。當希臘獨立之師之興也，裴倫恥其僅以文字鼓舞希人，遂毁家助餉。渡海投獨立軍自効。未及與戰而死。巴爾幹半島之人，至今追思之不衰。今希臘已久脫突厥之羈絆。近年以來，尤能自振拔，爲近東大國。雖其文明武功或猶未逮當日斯巴達雅典之盛，然裴倫夢想中獨立自主之希臘，則已久成事實。惜當年慷慨從軍之詩人，不及生見之耳。

此詩之入漢文，始於梁任公之『新中國未來記』小說。惟任公僅譯一三兩章。其後馬君武譯其全文，刊於『新文學』中。後蘇曼殊復以五言古詩譯之。民國二年，吾友張耘來美洲留學，攜有馬蘇兩家譯本。余因得盡讀之。頗嫌君武失之訛，而曼殊失之晦。訛則失眞，晦則不達，均非善譯者也。當時余許張君為重譯此詩。久而未能踐諾。三年二月一夜，以四小時之力，譯之。既成復改削數月，始成此本。更為之注釋，以便讀者。蓋詩中屢用史事，非注，不易領會也。

裴倫在英國文學上，僅可稱第二流人物。然其在異國之詩名，有時竟在蕭士比彌兒敦之上。此不獨文以人傳也。蓋裴倫為詩，富於情性氣魄，而鑄詞鍊句，頗失之粗豪。其在原文，疵瑕易見。而一經翻譯，則其詞句小疵，往往爲其深情奇氣所掩，讀者僅見其所長，而不覺其所短矣。裴倫詩名之及於世界，此亦其一因也。

（五年五月十一夜。）

（一）

嗟汝希臘之羣島兮，
實文教武術之所肇始。

詩媛沙浮嘗詠歌於斯兮，
亦羲和素娥之故里。
今惟長夏之驕陽兮，
紛燦爛其如初。
我徘徊以憂傷兮，
哀舊烈之無餘！

（二）

悠悠兮，我何所思？
荷馬兮阿難。
慷慨兮歌英雄，
纏綿兮敍幽歡。

享盛名於萬代兮，
獨岑寂於斯土；
大聲起乎仙島之西兮，
何此邦之無語。

（三）

馬拉頓後兮山高，
馬拉頓前兮海號。
哀時詞客獨來游兮，
猶夢希臘終自主也；
指波斯京觀以爲正兮，
吾安能奴僇以終古也！

（四）

彼高崖何巉巖兮，
俯視沙拉米之濱；
有名王嘗踞坐其巔兮，
臨大海而點兵。
千檣兮照海，
列艦兮百里。
朝點兵兮，何紛紛兮，
日之入兮，無復存兮！

（五）

往烈兮難追；

故國兮，汝魂何之？
俠子之歌，久銷歇兮，
英雄之血，難再熱兮，
古詩人兮，高且潔兮；
琴荒瑟老，臣精竭兮。

（六）

雖舉族今奴虜兮，
豈無遺風之猶在？
吾慨慷以悲歌兮，
耿耿國之魂磊。
吾惟餘頳顏為希人羞兮，

吾惟有淚為希臘灑。

（七）

徒愧赧曾何益兮，
嗟雪涕之計拙；
獨不念我先人兮，
為自由而流血？
吾欲訴天閽兮，
還我斯巴達之三百英魂兮！
倘令百一存兮，
以再造我瘦馬披離之關兮！

（八）

沉沉希朧，猶無聲兮；
惟聞鬼語，作潮鳴兮。
鬼曰：『但令生者一人起兮，吾曹雖死，終
陰相爾兮！』
嗚咽兮鬼歌，
生者之痞兮奈鬼何！

（九）

吾曉曉兮終徒然！
已矣兮何言！
且爲君兮彈別曲，
注美酒兮盈尊！

姑坐視突厥之跋扈兮，
聽其宰割吾胞與兮，
君不聞門外之簫鼓兮，
且赴此貝凱之舞兮！

（十）

汝猶能霹靂之舞兮，
霹靂之陣今何許兮？
舞之靡靡猶不可忘兮，
奈何獨忘陣之堂堂兮？
獨不念先人佉摩之書兮，
寧以遺汝庸奴兮？

（十一）

懷古兮徒煩寃，
注美酒兮盈尊！
一醉兮百憂泯！
阿難醉兮歌有神。
阿難蓋代詩人兮，
信嘗事暴君兮；
雖暴君兮，
猶吾同種之人兮。

（十二）

吾所思兮，

米爾低兮，
武且休兮，
保我自由兮。
吾撫昔而涕淋浪兮，
遺風誰其嗣昌？
誠能再造我家邦兮，
雖暴主其何傷？

（十三）

注美酒兮盈杯，
悠悠兮吾懷！
湯湯兮白階之岸，

崔巍兮修里之崖，
吾陀離之民族兮，
實肇生於其間；
或猶有自由之種兮，
歷百劫而未殘。

（十四）

法蘭之人，烏可託兮，
其王貪狡，不可度兮。
所可託兮，希臘之刀；
所可任兮，希臘之豪；
突厥慓兮，

拉丁狡兮，
雖吾盾之堅兮，
吾何以自全兮？

（十五）

注美酒兮盈杯！
美人舞兮低徊！
眼波兮盈盈，
一顧兮傾城；
對彼美兮，
淚下不能已兮；
子兮子兮，

胡爲生兒爲奴婢兮！

（十六）

置我乎須寧之巖兮，
狎波濤而爲伍；
且行吟以悲嘯兮，
惟潮聲與對語；
如鴻鵠之逍遙兮，
將於是焉老死：
奴隸之國非吾土兮，——
碎此杯以自矢！

The Isles of Greece

I

The isles of Greece, the isles of Greece!
  Where burning Sappho loved and sung,
Where grew the arts of war and peace,
  Where Delos rose, and Phoebus sprung!
Eternal summer gilds them yet,
But all, except the sun, is set.

沙浮古代女詩人。生西歷前六百年。

Phoebus 日神也。

Delos 地名。相傳日神月神皆生於此。此與日神並舉，當指月神也。

II

The Scian and the Teian muse,
　The hero' s harp, the lover' s lute,
Have found the fame your shores refuse,
　Their place of bir h alone is mute
To sounds which echo further west
Than your sires' "Islands of the Blest."

荷馬Homer生於Scios故曰Scian。阿難Anacreon生於Teos故曰Teian。

荷馬之詩歌英雄，阿難之詩叙兒女，實開二大詩派云。

神話，西海盡頭，有仙島，神仙居之。此蓋用以指西歐諸自由國，或專指英倫耳。

III

The mountains look on Marathon-
　And Marathon looks on the sea;
And musing there an hour alone,
　I dream' d that Greece might still be free;
For standing on the Persians' grave,
I could not deem myself a slave.

西歷前四百九十年，波斯人西侵，雅典人大敗之於馬拉頓。

IV

A king sate on the rocky brow
　Which looks o er sea-born Salamis;
And ships, by thousands, lay below,
　And men in nations;- all were his!
He counted them at break of day—
And when the sun set, where were they?

馬拉頓之敗，波人恥之。後十年—四八〇年—新王 Xerxes 大舉征希臘，大艦千二百艘，小舟三千艘，軍威之盛，爲古史所未有。雅典人禦之，戰於沙拉米，波師大敗，失巨艦無算，餘艦皆遁。明年，復爲斯巴達援師所敗。

V

And where were they? and where art thou,
  My country? on thy voiceless shore
The heroic lay is tuneless now-
  The heroic bosom beats no more!
And must thy lyre, so long divine,
Degenerate into hands like mine?

VI

'Tis something in the dearth of fame,
  Though link'd among a fetter'd race,
To feel at least a patriot's shame,
  Even as I sing, suffuse my face;
For what is left the poet here?
For Greeks a blush- for Greece a tear.

VII

Must we but weep o'er days more blest?
  Must we but blush?—Our fathers bled.
Earth! render back from out thy breast
  A remnant of our Spartan dead!
Of the three hundred grant but three,
To make a new Thermopylae!

瘦馬披離，關名。西歷前四百八十年希臘列國協商以此為列國樞紐。及波斯軍來侵，斯巴達勇士三百人守此。關破，三百人皆死之。

VIII

What, silent still? and silent all?
  Ah! no;- the voices of the dead
Sound like a distant torrent' s fall,
  And answer, "Let one living head,
But one arise,- we come, we come!"
'Tis but the living who are dumb.

IX

In vain- in vain: strike other chords;
  Fill high the cup with Samian wine!
Leave battles to the Turkish hordes!
  And shed the blood of Scio' s vine.
Hark! rising to the ignoble call-
How answers each bold Bacchanal!

原文第三四句疑指突厥人屠殺窣訶城事。此城卽詩人荷馬生長之地也。

貝凱之舞者，希人宗教儀節之一種，巫覡舞禱，男女聚樂，以娛神焉。

X

You have the Pyrrhic dances yet;
  Where is the Pyrrhic phalanx gone?
Of two such lessons, why forget
  The nobler and the manlier one?
You have letters Cadmus gave-
Think ye he meant them for a slave?

霹靂 Pyrrhus 爲 Epirus 之王，嘗屢立戰功，此舞卽其所作戰陣之樂。

佉摩者，神話相傳爲腓尼西之王，遊希臘之梯伯部，與龍鬭，屠龍而拔其齒，種之皆成勇士，遂爲其地之始祖。佉摩自腓尼西輸入字母，遂造希臘文。

XI

Fill high the bowl with Samian wine!
We will not think of themes like these!
It made Anacreon's song divine;
He served-but served Polycrates-
A tyrant; but our masters then
Were still, at least, our countrymen.

阿難見任於希王Polycrates，古之暴主也。

XII

The tyrant of the Chersonese
  Was freedom's best and bravest friend;
That tyrant was Miltiades!
  Oh! that present hour would lend
Another despot of the kind!
Such chains as his were sure to bind.

馬拉頓之役，米之功最大。此章懷古而歎今之無人也。

按此章及上章皆憤極之詞。其時民族主義方大熾，故詩人於種族一方面尤再三言之。民權之說，幾爲所掩。讀者不可驟謂裴倫初不言民權也。

XIII

Fill high the bowl with Samian wine!
On Suli's rock, and Parga's shore,
Exists the remnant of a line
Such as the Doric mothers bore;
And there, perhaps, some seed is sown,
The Heracleidan blood might own.

希人分兩大族，一爲伊俄寧族，（Ionians）一爲陀離族（Dorisna）。陀離族稍後起，起於北方，故有白階修里云云。修里山在西北部，希人獨立之役，修里之人最有功云。

XIV

Trust not for freedom to the Franks,
  They have a king who buys and sells,
In native swords and native ranks,
  The only hope of courage dwells:
But Turkish force, and Latin fraud,
Would break your shield, however broad.

希臘之謀獨立也，始於十九世紀初葉。其時「神聖同盟」之約墨猶未乾，歐洲君主相顧色變，以為民權之燄復張矣，故深忌之，或且陰沮尼之，法尤甚焉。此詩所以戒希臘人士也。

XV

Fill high the bowl with Samian wine!
　Our virgins dance beneath the shade-
I see their glorious black eyes shine;
　But gazing on each glowing maid,
My own the burning tear-drop laves,
To think such breasts must suckle slaves.

XVI

Place me on Suuium' s marbled steep,
  Where nothing, save the waves and I,
May hear our mutual murmurs sweep;
  There, swan-like, let me sing and die:
A land of slaves shall ne'er be mine-
Dash down yon cup of Samian wine!

自殺篇

任叔永有弟季彭，居杭州。壬癸之際，國事糜爛，季彭憂憤不已，遂發狂，一夜，潛出，投葛洪井死。叔永時在美洲，追思逝者，乃掇季彭生時所寄書，成一集，而係以詩。有『何堪更發舊書讀，腸斷脊令風雨聲』之句。季彭最後寄諸兄詩，有『原上脊令風雨聲』之語，故叔永詩及之。叔永索余題辭集上，遂成此篇，凡長短五章。三年七月七日。

叔永至性人，能作至性語。脊令風雨聲，使我心愁苦。
我不識賢季，焉能和君詩？頗有傷心語，試爲君陳之。
叔世多哀音，危國少生望。此爲恆人言，非吾輩所尚。奈何賢哲人，平昔志高抗，一朝受挫折，神氣遽沮喪？下士自放棄，朱樓醉春釀。上士羞獨醒，一死謝諸妄。三閭逮賢季，苦志都可諒。其愚亦莫及，感此意慘愴。

我聞古人言，「艱難惟一死。」我獨不謂
然，此欺人語耳。盤根與錯節，所以見奇士。
處世如臨陣，無勇非孝子。雖三北何傷？
一戰待雪恥。殺身豈不易？所志不止此。
生材必有用，何忍付蟲蟻？枯楊會生稊，河
清或可俟。但令一息存，此志未容已。

春秋誅賢者，我以此作歌。茹鯁久欲吐，
未敢避譴訶。

老樹行

道旁老樹吾所思，
軀幹十抱龍髯枝，
藹然俛視長林卑。

冬風挾雪捲地起，
撼樹兀兀不可止。
行人疾走敢仰視？

春回百禽還來歸，

枝頭好鳥天籟奇，
謂卿高唱我和之。
狂風好鳥年年事：
既鳥語所不能媚，
亦不因風易高致。

跋老樹行

這首詩是民國四年四月二十六日作的。那時正當中日交涉的時期，我的『非攻主義』狠受大家的攻擊，故我作了這首詩，略帶解嘲之意。這首詩後來又惹起了許多朋友的嘲笑。杏佛和叔永春日詩灰字韻一聯云，『既柳眼所不能媚，豈大作能燃死灰？』叔永有芙蓉詩，『既非看花人能媚，亦不因無人不開。』他們都戲學『胡適之體』，用作笑柄。其實這首詩在去國集裏，要算一首好詩，不知我當初何以把他忘了。現在我把他補進去，並且恭恭敬敬的對他賠一個不是。

嘗　　試　　集

（九，十，一五。）

滿庭芳

楓翼敲簾，榆錢鋪地，柳棉飛上春衣。落花時節，隨地亂鶯啼。枝上紅襟軟語，商量定，掠地雙飛。何須待，銷魂杜宇，勸我不如歸？

歸期今倦數。十年作客，已慣天涯。況壑深多瀑，湖麗如斯。多謝殷勤我友，能容我傲骨狂思。頻相見，微風晚日，指點過湖堤。

（四年六月十二日。）

（註）紅襟者，鳥名。英文 Robin 俗名 Redbreast。

楓翼者，楓樹子皆有薄翅包之，其形似蜻蜓之翅。凡此類之種子，如榆之錢，楓之翼，皆以便隨風遠颺也。

臨江仙

隔樹溪聲細碎。
迎人鳥唱紛譁。
共穿幽徑趁溪斜。
我和君拾葚，
君替我簪花。

更向水濱同坐，
驕陽有樹相遮。
語深渾不管昏鴉。

此時君與我，
何處更容他？

（四年八月二十四日。）

將去綺色佳，叔永以詩贈別。作此奉和。即以留別。

橫濱港外舟待發，徜徉我方坐斗室，檸檬杯空菸捲殘，忽然人面過眼瞥。疑是同學巴縣任，細看果然慰飢渴。扣舷短語難久留，惟有相思耿胸臆。明年義師起中原，遂爲神州掃胡羯。遙聞同學諸少年，乘時建樹皆宏達。中有我友巴縣任，翩翩書記大手筆。策勳不樂作議員，願得西乞醫國術。遠來就我歡可知。三年卒卒重當別。幾人八年再同學？況我與君過從密，往往論文忘晨昳，時復議政同哽咽。相知益深別更難，贈我新詩語真切。君期我作瑪志尼，我祝君爲倭斯韈。國事今成遍體瘡，治頭治脚俱所急。勉之勉之我友任！歸來與君同僇力。

（四年八月二十九夜。）

（注）瑪志尼 Mazzini 意大利文學家，世所稱『意大利建國三傑』之一也。

倭斯韈 Wilhelm Ostwald 德國科學大

家，今猶生存。

沁園春

將之紐約，楊杏佛以詞送行，有『三稔不相見，一笑遇他鄉。暗驚狂奴非故，收束入名場。』之句。實則杏佛當日亦狂奴耳。其詞又有『欲共斯民溫飽』之語。余既喜吾與杏佛今皆能放棄故我，重修學立身，又壯其志願之宏，故造此詞奉答，卽以留別。

朔國秋風，汝遠東來，過存老胡。正相看一笑，使君與我，春申江上，兩個狂奴。客裏相逢，殷勤問字，不似當年舊酒徒。還相問：「豈胸中塊壘，今盡消乎？」

君言：「是何言歟！祇壯志新來與昔殊。願乘風役電，戡天縮地，頗思瓦特，不羨公輸。戶有餘糈，人無菜色，此業何嘗屬腐儒？吾狂甚，欲斯民溫飽，此意何如？」

（四年九月二日。）

（註）瓦特James Watt，即發明汽機者。

送梅覲莊往哈佛大學

（一）

吾聞子墨子有言：『爲義譬若築牆然。能實壤者且實壤，能築者築掀者掀。』（耕柱篇語。「掀」，本作「欣」，依畢沅說改。）吾曹謀國亦復爾，待擧之事何紛紛。所賴人各盡所職，未可責備於一人。同學少年識時務，學以致用爲本根。爭言『治病須對症，今之大患弱與貧。但祝天生幾牛敦，還乞千百客兒文，輔以無數愛迭孫，便教國庫富且殷，更無誰某婦無褌。

乃練熊羆百萬軍。誰其帥之拿破崙。恢我士字固我藩，百年奇辱一朝翻。」

（二）

凡此羣策豈不偉？有人所志不在此。即如吾友宣城梅，自言「但願作文士。」舉世何妨學倍根，我獨遠慕蕭士比。」梅君少年好文史，近更撫拾及歐美。新來爲文頗諧詭，能令公怒令公喜。昨作檄討夫己氏，儻令見之魄應褫。又能虛心不自是，一稿十易猶未已。梅君梅君毋自鄙。神州文學久枯餒，百年未有健者起。新潮之來不可止，文學革命其時矣。吾輩勢不容坐視，且復號召二三子，鞭笞驅除一車鬼，再拜迎入新世紀。以此報國未云非，縮地戡天差可儗。梅君梅君毋自鄙。

（三）

作歌今送梅君行，狂言人道臣當烹。我自不吐定不快，人言未足爲重輕。居東何時遊康可，爲我一弔愛謀生，更弔霍桑與索虜：此三子者皆崢嶸。應有『烟士披里純』，爲君奚囊增瓊英。

（四年九月十七日。）

（註）此詩凡用外國字十一：牛敦 Newton 英國科學家。客兒文 Kelvin 英國近代科學大家。愛迭孫 Edison 美國發明家。拿破崙 Napoleon。倍根 Bacon 英國哲學家，主戡天之說，又創歸納名學，為科學先導。蕭士比 Shakespeare 英國文學鉅子。舊譯莎士比亞。康可 Concord 地名，去哈佛不遠，十九世紀中葉此邦文人所聚也。愛謀生 Emerson，霍桑 Hawthorne，

索虜 Thoreau，以上三人，美國文人，亦哲學家；墓皆在康可。『烟士披里純』Inspiration 直譯有『神來』之意。梁任公以音譯之，又爲文論之，見飲冰室自由書。

相思

自我與子別，於今十日耳。 奈何十日間，兩夜夢及子？

前夜夢書來，謂無再見時。 老母日就衰，未可遠別離。

昨夢君歸來，歡喜臨江坐。 語我故鄉事，故人頗思我。

吾乃無情人，未知愛何似。 古人說『相思』，無乃頗類此？

秋聲

序

老子曰：『吾有三寶，持而寶之：一曰慈，二曰儉，三曰不敢爲天下先。』此三寶者，吾於秋日疏林中盡見之。落葉，慈也。損小己以全宗幹，可謂慈矣。松柏需水供至微，故能生水土澆薄之所，秋冬水絕，亦不虞匱乏。人但知其後彫，而莫知後彫之由於能儉也。松栢不與衆木爭肥壤，而其處天行獨最適。則亦所謂『夫唯不爭故天下莫能與之爭』者也。遂賦之。

出門天地闊，悠然喜秋至。疏林發清響，衆葉作雨墜。山蹊少人跡，積葉不見地。楓榆但餘枝，槎枒具高致。大橡百年老，敗葉剩三四。諸松傲秋霜，未始有衰態。舉世隨風靡，何汝獨蒼翠？

虬枝忽自語，語語生妙籟：

『天寒地脈枯，萬木絕飲飼。布

，

根及一畝，所得大微細。本幹保已難，枝葉在當棄。脫葉以存本，傷哉此高誼。

吾儕松與柏，頗以儉自勵。取諸天者廉，天亦不吾廢。故能老巖石，亦頗耐寒歲，全軀復全葉，不爲秋憔悴。』

我聞諸松言，低頭起幽思，舉頭謝諸松：「與爾勉斯志！」

（五年一月續成去年舊稿。）

秋柳

但見蕭颼萬木摧，尚餘垂柳拂人來。西風
莫笑柔條弱，也向西風舞一回。

此七年前（己酉）舊作也。原序
曰：

秋日適野，見萬木皆有衰意，
而柳以弱質，際茲高秋，獨能迎
風而舞，意態自如。豈老氏所
謂能以弱存者耶。感而賦之。

年來頗歷世故，亦稍稍讀書，益知老氏柔弱勝剛强之說，證以天行人事，實具妙理。近人爭言『優勝劣敗，適者生存。』彼所謂適，所謂優，未必即在强暴武力。蓋物類處境不齊，但有適不適，不在强不强也。兩年以來，兵禍之烈，亘古未有。試問以如許武力，其所成就，究竟何在？又如比利時以彈丸之地，拒無敵之德意志，豈徒無濟於事，又大苦彼無罪之民。雖螳臂當車，淺人或慕其能怒，而弱卵擊石，仁者必謂爲至愚矣。此豈獨大遶老子齒亡舌存之喻，抑亦孔子所謂『小不忍則亂大謀』者歟。以是之故，兩年以來余往往念及此詩，有時亦爲人誦之。以爲庚戌以前所作詩詞，一一都宜删棄，獨此二十八字，或不無可存之價值。遂爲改易數字，附寫於此，雖謂爲去國後所作，可也。

（五年七月。）

沁園春　誓詩

更不傷春，更不悲秋，以此誓詩。任花開也好，花飛也好，月圓固好，日落何悲？我聞之曰，『從天而頌，孰與制天而用之？』更安用爲蒼天歌哭，作彼奴爲！

文章革命何疑！且準備搴旗作健兒。要前空千古，下開百世，收他臭腐，還我神奇。爲大中華，造新文學，此業吾曹欲讓誰？詩材料，有簇新世界，供我驅馳。

（五年四月十二日。）

中華民國十一年十月增訂四版

嘗試集（全）

每册定價洋四角五分

外埠酌加郵費

著者　胡適

發行者　亞東圖書館　上海五馬路棋盤街西首

印刷者　亞東圖書館　上海五馬路棋盤街西首

分售處　各省各大書店

THE ORIENTAL BOOK COMPANY
上海亞東圖書館